Les chiots magiques

# Des rêves plein la tête

## L'auteur

La plupart des livres de Sue Bentley évoquent le monde des animaux et celui des fées. Elle vit à Northampton, en Angleterre, et adore lire, aller au cinéma, et observer grenouilles et tritons qui peuplent la mare de son jardin. Si elle n'avait pas été écrivain, elle aurait aimé être parachutiste ou chirurgienne, spécialiste du cerveau. Elle a rencontré et possédé de nombreux chiens qui ont à leur manière mis de la magie dans sa vie.

## Dans la même collection :

1. *Au poney-club*
2. *À la ferme*
3. *La tête dans les nuages*
4. *Une vraie star*
5. *Un anniversaire magique*
6. *À la belle étoile*
7. *Un défilé fantastique*
8. *Un ami formidable*
9. *La reine de l'école*
10. *À deux, tout va mieux*

**Vous avez aimé**

les chiots magiques

**Écrivez-nous**
**pour nous faire partager votre enthousiasme :**
**Pocket Jeunesse, 12 avenue d'Italie, 75013 Paris**

Sue Bentley

# Des rêves plein la tête

*Traduit de l'anglais par Christine Bouchareine*

*Illustré par Angela Swan*

POCKET JEUNESSE

Titre original :
*Magic Puppy – Sparkling Skates*

Publié pour la première fois en 2009
par Puffin Books, département de Penguin Books Ltd, Londres.

*À Honey,*
*une adorable amie pendant un temps bien trop court...*

Loi n° 49-956 du 16 juillet 1949 sur les publications
destinées à la jeunesse : juillet 2011.



ISBN 978-2-266-21069-0

Mon petit Foudre chéri,

Tu as été si courageux depuis que tu as échappé aux griffes du cruel Ténèbre !

Ne t'inquiète pas pour moi, je me cache en attendant le jour où tu seras assez fort pour prendre la tête de notre meute. Tu dois fuir encore Ténèbre et ses espions. S'il découvrait cette lettre, il n'hésiterait pas à la détruire.

Cherche un ami sincère, quelqu'un qui t'aidera à accomplir la mission que je vais te confier. Écoute-moi attentivement, c'est très important : tu dois toujours

Sache que tu n'es pas seul. Aie confiance en tes amis, et tout ira bien.

Ta maman qui t'aime,

Perle d'Argent.

# Prologue

Le jeune loup argenté courait sur la glace. Le ciel s'était couvert de gros nuages sombres et il se mit à neiger. Foudre leva la tête. Un flocon atterrit sur son nez. Il le lapa d'un coup de langue, heureux de se retrouver chez lui.

Soudain un hurlement effrayant déchira le silence.

— Ténèbre !

C'était le féroce loup solitaire qui avait attaqué le clan de la Lune Griffue !

Il y eut un éclair aveuglant suivi d'une pluie d'étincelles. À la place du louveteau apparut un minuscule chiot trapu, aux yeux bleu saphir, aux courtes pattes et à l'épaisse fourrure noire.

Foudre détala ventre à terre. Son petit cœur cognait dans sa poitrine. Il espérait que ce déguisement le protégerait de son ennemi.

Il neigeait abondamment à présent. Foudre devait trouver une cachette, sans tarder. Il se dirigea vers une forêt de grands pins.

Alors qu'il se faufilait entre les troncs, une silhouette sombre se dressa devant lui. Foudre vit des yeux de loup briller derrière le rideau de neige. Il s'arrêta net, prêt à détaler.

— Foudre ! l'appela alors une voix douce. Vite, viens par ici !

— Mère !

Avec un soupir de soulagement, il se précipita vers elle.

— Que je suis contente de te revoir, mon fils ! murmura Perle d'Argent en léchant sa fourrure noire et son petit museau carré.

Foudre remua la queue et passa à son tour la langue sur le museau de sa mère.

— Je reviens prendre la tête du clan de la Lune Griffue !

Perle d'Argent esquissa un sourire de fierté qui laissa voir ses crocs pointus.

— Voilà qui est bravement parler ! Mais le moment est mal choisi. Ténèbre veut à tout prix devenir le chef de notre clan et tu n'es pas encore de taille à l'affronter. Quant à moi, je ne suis toujours pas remise de ma blessure empoisonnée.

Les yeux bleu saphir de Foudre s'obscurcirent de colère et de chagrin. Il n'avait pas envie de repartir, mais sa mère avait raison.

— Les autres loups refusent de suivre Ténèbre. Ils t'attendent. Retourne dans l'autre monde.

Tu reviendras quand tu seras plus fort et que tes pouvoirs magiques se seront développés.

Perle d'Argent frissonna soudain de douleur.

Foudre s'approcha et souffla sur elle un tourbillon de minuscules étincelles. Elles s'enroulèrent autour de sa patte blessée et s'enfoncèrent dans sa fourrure grise.

Sentant ses forces revenir, Perle d'Argent poussa un soupir de soulagement. Hélas, Foudre n'eut pas le temps de poursuivre ses soins. Un hurlement terrifiant retentit non loin d'eux. Il fut suivi d'un martèlement sourd. Un énorme loup surgit de derrière les arbres. Foudre l'entendait haleter.

— Ténèbre sait que tu es là. Vite, Foudre ! Sauve-toi ! le supplia Perle d'Argent.

Foudre gémit tandis qu'il rassemblait ses pouvoirs. Des étincelles parcoururent sa fourrure noire. Elle se mit à briller, briller, briller…

# 1

— J'ai hâte de demander à mes parents si je peux m'inscrire à l'Académie de patinage artistique ! s'écria Louise alors qu'elle quittait la patinoire avec Justine, sa meilleure amie.

— Ce serait génial ! s'exclama Justine. On irait ensemble aux cours. Tu verras, Marie, notre prof, est fantastique !

Justine se défendait déjà très bien : elle devait participer au spectacle qui aurait lieu dans quelques semaines.

— Avec le patinage, je m'évade de tout ce que j'ai connu ! reprit Louise. Cette fois, je crois que j'ai enfin trouvé une activité qui me plaît.

— Marie l'a remarqué. Elle m'a dit qu'elle espérait te revoir.

— Vraiment ? C'est fabuleux ! Oh, voilà ma mère. Croisons les doigts !

Louise rejeta ses longs cheveux dans son dos et courut vers la voiture.

— Dis, maman, ça ne te dérange pas de déposer Justine au passage ?

— Bien sûr que non. Montez.

— Merci, madame Mercier, murmura poliment Justine en s'installant à l'arrière.

La maman de Louise démarra.

— Alors, vous vous êtes bien amusées ?

— Tu ne peux pas imaginer ! répondit Louise. J'ai appris de nouvelles figures et je ne m'en suis pas trop mal sortie. Et tu sais quoi ? Justine dansera en solo au prochain spectacle !

Mme Mercier sourit à Justine dans le rétroviseur.

— Félicitations ! Nous prendrons des places pour venir te voir.

— Moi aussi, j'aimerais faire du patinage artistique, maman, enchaîna Louise d'un ton suppliant. Dis, je peux m'inscrire à l'Académie avec Justine ? Il y a plusieurs filles de notre classe qui y vont. Et nous sommes toutes...

— Encore une lubie ! la coupa sa mère en fronçant les sourcils. Aurais-tu déjà oublié ta passion pour le VTT ? Tu ne jurais que par le tout-terrain il y a deux mois.

— Je sais, mais là, c'est autre chose. Je suis nulle à vélo, mais super forte sur des patins. Même Marie, la prof, l'a remarqué. C'est génial, non ?

Sa mère se contenta de lever les yeux au ciel.

Elle s'engagea dans une rue bordée d'arbres et s'arrêta devant chez Justine.

— Merci, madame Mercier. À demain, Louise !

— Au revoir, Justine !

La voiture repartit. Louise se mordilla nerveusement les ongles.

— Alors, pour le patin... ? insista-t-elle.

— Je ne dirai pas que cette idée m'enchante.

Attendons d'être à la maison pour en parler. J'aimerais connaître l'avis de ton père.

— D'accord.

Louise n'était pas inquiète. Son père disait toujours oui.

Hélas, une déception l'attendait.

— Je suis désolé, mais je partage entièrement l'avis de ta mère, déclara-t-il une fois qu'elles l'eurent mis au courant. Nous t'avons déjà payé des leçons de tennis, ensuite tu as voulu un VTT – pour finalement ne rien en faire. Je ne vois pas l'intérêt d'investir dans des patins et des leçons alors que tu t'en lasseras comme du reste.

— Mais pas du tout! Ce sera différent cette fois-ci. Et vous n'avez même pas besoin de m'acheter des patins. Justine a promis de me donner ses vieux.

— Je vois que vous avez pensé à tout, rétorqua-t-il en haussant les sourcils.

— C'est vrai, répondit-elle, pleine d'espoir, et elle lui adressa un sourire implorant.

Son père secoua la tête.

— Je suis navré, Louise, mais ça ne change rien.

Quelle déception ! Louise quitta la pièce, la mort dans l'âme.

— Génial ! grommela-t-elle. Tout le monde dans ma classe va y aller sauf moi !

Elle monta l'escalier à pas lourds, songeant aux longues soirées solitaires qui l'attendaient pendant que ses amies s'amuseraient.

Au moment où elle atteignait la dernière marche, un éclair aveuglant et une pluie de paillettes illuminèrent le palier.

— Oh ! s'exclama-t-elle, complètement éblouie.

Quand elle rouvrit les yeux, elle vit un petit chiot tout noir assis devant elle.

— Pourrais-tu m'aider, s'il te plaît ? aboya-t-il.

# 2

Louise le dévisagea bouche bée. Elle rêvait, ou quoi ?

Elle battit des paupières. Le chiot se tenait toujours devant elle. Il la fixait de ses grands yeux au bleu saphir incroyable.

— Mais… mais d'où sors-tu ? bredouilla-t-elle, sidérée. Comment es-tu arrivé là ?

— Je viens de très loin grâce à mes pouvoirs magiques. Je m'appelle Foudre et j'appartiens au clan de la Lune Griffue. Et toi, à quel clan appartiens-tu ?

Louise faillit s'étrangler.

— Waouh ! Tu parles pour de vrai ! Je... je croyais que j'avais rêvé. Je... je m'appelle Louise. Louise Mercier. J'habite ici avec mes parents.

Foudre inclina sa petite tête.

— Je suis très honoré de faire ta connaissance, Louise.

— Euh... moi aussi.

Louise avait du mal à s'expliquer ce qui lui arrivait. Mais elle s'accroupit afin de paraître moins grande. Elle ne voulait surtout pas effrayer ce merveilleux petit chien.

Elle se souvint tout à coup de la première question qu'il lui avait posée.

— Pourquoi as-tu besoin de mon aide ?

Foudre coucha ses oreilles en arrière et son petit museau se plissa d'angoisse.

— Je suis recherché par Ténèbre, le féroce loup solitaire qui a attaqué le clan de la Lune Griffue. Il a tué mon père et mes frères de portée, et aussi blessé ma mère. Il veut prendre la tête de notre clan. Mais c'est à moi qu'il revient de le diriger !

Louise fronça les sourcils.

— Toi, commander une meute de loups ? Ce n'est pas possible ! Tu n'es qu'un chien minuscule !

— Pousse-toi, s'il te plaît.

Tandis que Louise se relevait et reculait dans sa chambre, un nouvel éclair l'aveugla. Là où elle avait vu le chiot apparut un jeune loup magnifique à la fourrure argentée et à la collerette étincelante.

— C'est toi, Foudre ? demanda-t-elle, les yeux rivés sur ses crocs impressionnants.

— Oui, c'est moi. N'aie pas peur, la rassura-t-il d'une voix de velours.

Mais elle n'eut guère le temps de s'habituer à sa nouvelle apparence. Dans un éclair, il reprit son allure de petit chien.

— Waouh ! Quel déguisement génial ! Tu as vraiment l'air d'un scottish-terrier !

— Hélas, Ténèbre me reconnaîtra dès qu'il me verra. Il faut que je me cache.

Louise s'aperçut qu'il tremblait. Tout attendrie, elle le prit dans ses bras. Il se lova contre elle tandis qu'elle caressait sa belle fourrure noire.

— Tu pourrais vivre dans ma chambre…

Louise s'arrêta. Jamais ses parents ne lui permettraient d'avoir un chien, surtout après leur discussion sur le patinage. Ils croiraient encore qu'elle faisait un caprice. Elle secoua la tête tristement.

— Non, tout bien réfléchi, ce ne sera pas possible.

— Je comprends. Merci pour ta gentillesse. Je vais chercher quelqu'un d'autre pour m'aider.

Mais Louise n'avait pas le cœur à laisser partir cet ami magique.

— Attends ! Je vais te cacher. Je t'aménagerai un lit dans le placard. Bien sûr, tu ne devras pas faire de bruit ni sortir quand papa et maman seront à la maison. Et tu risques de t'ennuyer...

— Non, ça me plairait beaucoup. Je me sens en sécurité ici. Et grâce à mes pouvoirs magiques, je peux faire en sorte que tu sois la seule à me voir.

— Quoi ? Tu peux te rendre invisible ? Alors tout est réglé !

Elle ouvrit sa penderie et en sortit une vieille paire de baskets et un carton rempli de peluches et de poupées qui encombraient le bas.

— Louise ? J'espère que tu n'es pas en train de bouder... Mais qu'est-ce que tu fabriques ?

Louise se retourna d'un bond. Dans sa hâte à faire de la place pour Foudre, elle n'avait pas entendu sa mère arriver.

— Euh, j'ai juste décidé de… de ranger mes affaires et de me débarrasser de ces vieilleries.

Mme Mercier posa le dos de sa main sur son front comme si elle allait s'évanouir.

— Tu ranges ta chambre sans que je te le demande ? Tu m'étonneras toujours, Louise !

Louise se raidit en la voyant baisser les yeux vers le petit chiot noir assis à côté d'elle. Mais sa mère ne poussa aucun cri de surprise. Foudre devait déjà s'être rendu invisible.

Louise retint un sourire : elle ne serait plus seule pendant que ses amies se retrouveraient à la patinoire.

# 3

Louise se réveilla de bonne heure le lundi matin. Elle rêvait qu'elle glissait gracieusement sur la glace, chaussée de jolis patins blancs et vêtue d'un costume ourlé de plumes blanches. Les plumes lui chatouillaient le nez. Elle leva la main pour les écarter et s'aperçut alors qu'elle avait la joue contre la douce fourrure de Foudre.

Elle éclata de rire et l'attira contre elle.

— Bonjour, toi. As-tu bien dormi ?

— Oui, merci. Je me sens en sécurité ici.

Il ponctua ses jappements d'un petit coup de langue sur le menton.

— Et moi, je suis si heureuse de t'avoir avec moi !

Ensuite elle lui raconta son rêve.

— Je jouais la Belle au bois dormant dans un grand spectacle ! Et je dansais sur la glace ! C'était super !

— Comment peut-on danser sur la glace ? demanda-t-il en écarquillant ses grands yeux bleus. Dans mon pays, l'hiver est froid et les lacs sont tous gelés. Pourtant personne ne danse dessus.

— C'est très amusant. Il faut d'abord mettre des bottes spéciales avec des lames métalliques fixées sur les semelles pour patiner. Alors, on doit apprendre à sauter et à tourner en rythme sur la musique avant d'arriver à danser.

— Ça a l'air extra. Et tu sais patiner ?

— Malheureusement, je rêve d'apprendre, mais ce n'est pas possible, soupira-t-elle en se laissant retomber contre ses oreillers.

— Pourquoi ?

— Mes parents croient que je me lasserai du patinage comme du reste, alors ils ont refusé de m'inscrire à l'Académie avec mes amies. C'est vrai que, jusqu'à présent, rien ne m'a intéressée bien longtemps, reconnut-elle. Pourtant, là, c'est différent. Je le sens. Je donnerais tout pour savoir danser sur la glace. J'aimerais tellement les faire changer d'avis mais je ne vois pas comment.

— Et il n'y a qu'à l'Académie que tu peux apprendre ?

— Oui, à moins d'avoir une patinoire privée. Dans ce cas, je pourrais m'entraîner autant que je voudrais ! Enfin, inutile de rêver. Et ça ne sert à rien de se lamenter, ajouta-t-elle avec un petit sourire. Il est temps de se lever. Je dois me préparer pour l'école.

Le chiot la regardait s'habiller d'un air pensif.

Après son petit déjeuner, Louise lui monta en cachette de quoi manger. Elle le regarda engloutir les céréales et le lait avec appétit.

— Je suis désolée, c'est tout ce que j'ai trouvé. Je t'achèterai de la pâtée pour chien en revenant de l'école.

— Mais c'était très bon ! Merci beaucoup.

Elle faillit éclater de rire. Le lait dessinait une moustache blanche sur son museau noir. C'était difficile d'imaginer que ce chiot sans défense était en réalité un jeune loup aux crocs acérés.

— Ça ne t'ennuie pas de rester caché ici pendant que je vais en cours ?

— Ah non ! Pas question. Je viens avec toi !

Louise réfléchit. Elle hésitait à emmener ce petit chien remuant en classe, tout invisible qu'il était. Mais il la regardait d'un air si suppliant qu'elle n'eut pas le cœur de refuser.

— Bon… eh bien, c'est d'accord.

— Tu es prête, Louise ? cria sa mère du bas de l'escalier. Je t'attends dans la voiture.

— J'arrive !

Louise posa son sac par terre et l'ouvrit.

— Maman nous emmène. Alors, saute là-dedans !

Foudre obéit et se cala contre sa trousse en fausse fourrure.

Dix minutes plus tard, Louise descendait de voiture devant son collège et disait au revoir à sa mère. Quatre filles s'avancèrent à sa rencontre.

— Voilà Justine, c'est ma meilleure amie, chuchota-t-elle à Foudre. Avec Coralie, Lucie et Melissa qui sont aussi dans ma classe.

— Bonjour, Louise, la salua Justine en lui tendant un sac en tissu, fermé par une cordelette. Je t'ai apporté mes patins.

— Oh, merci. Malheureusement, ils ne vont pas me servir beaucoup. Mes parents ne veulent pas m'inscrire au patinage. Ils disent que j'abandonnerai comme le reste.

— Oh, ma pauvre ! Enfin, garde-les quand même. Tes parents peuvent changer d'avis, non ?

— Quand les poules auront des dents !

— T'as vraiment pas de chance ! compatit Coralie.

Cette fille mince au visage en forme de cœur et aux cheveux châtains était très populaire. Ses parents la gâtaient beaucoup et elle était toujours habillée à la dernière mode. Mais ça ne gênait personne : elle était généreuse et ne faisait pas de chichis.

— Regardez ! Mon père m'a acheté le dernier numéro de *Patins d'argent*, s'écria-t-elle en sortant un magazine de son sac. Il y a des costumes de danse fabuleux. Je vais lui demander de m'en acheter un.

— Fais voir ! s'écrièrent Lucie et Melissa d'une seule voix.

Penchées sur la revue, les trois filles s'éloignèrent tout en discutant patinage. Louise les suivit des yeux avec tristesse.

Justine hésita. Louise sentit qu'elle mourait d'envie de les rejoindre. Elle l'aurait bien compris. Justine passa alors son bras sous le sien. Louise lui sourit, heureuse qu'elle ait choisi de rester avec elle. Comment pourtant ne pas penser aux bons moments que les quatre filles allaient passer ensemble à la patinoire, pendant qu'elle s'ennuierait chez elle devant la télévision ?

Elle glissa la main dans son sac. Foudre lui lécha aussitôt les doigts. Réconfortée, elle se réjouit d'avoir ce petit compagnon secret.

# 4

Louise contempla son cahier d'exercices de maths en soupirant. Impossible de se concentrer, aujourd'hui... Elle ne pensait qu'au patinage.

Heureusement, la cloche sonnerait bientôt la fin des cours. Louise chercha Foudre des yeux. Où était-il passé ? Cela faisait presque une heure qu'il était parti explorer les alentours.

Elle aperçut alors une petite silhouette noire qui se glissait dans la classe par la porte entrebâillée. Elle regarda Foudre zigzaguer entre les bureaux et se retint de sourire. Difficile de croire qu'elle était la seule à le voir et à l'entendre.

Il sauta sur son bureau en laissant des étincelles dans son sillage, telle une petite comète. Ploc! Il atterrit en plein milieu de son cahier de maths.

— Foudre! J'espère que tu n'as pas les pattes poussiéreuses! chuchota-t-elle en le poussant de côté. La prof ne supporte pas les cahiers sales!

Foudre s'assit à côté d'elle et souleva ses pattes l'une après l'autre en fronçant les yeux.

— Elles sont propres ! la rassura-t-il, et sa petite queue battit contre le banc.

Étouffant un rire, elle la plaqua aussitôt sur le bois pour l'empêcher de faire du bruit. Trop tard ! Coralie tourna vers elle un regard interrogateur.

— Quoi ? demanda Louise d'un air innocent.

— J'ai entendu comme un roulement de tambour. Bizarre ! J'ai rêvé ou quoi ?

Louise sourit en imaginant la tête de Coralie si elle apprenait qu'un chiot magique se trouvait sur le banc à côté d'elle.

Elle vérifia que personne ne regardait de son côté et se pencha vers Foudre.

— Alors, tu as vu de belles choses ?

— J'ai découvert une grande salle remplie d'étagères avec des tonnes de livres.

— C'est la bibliothèque, expliqua-t-elle en se demandant ce qu'il avait pu trouver d'intéressant là-bas. Et tu ne t'es pas trop ennuyé ?

— Au contraire, c'était très instructif! répondit-il, très content de lui.

Au moment où Louise ouvrait la bouche pour en savoir plus, la cloche retentit. La professeur frappa dans ses mains.

— Très bien, les enfants. Fermez vos cahiers et rangez vos affaires.

Dans un fracas de chaises, toute la classe se leva. Louise rangea son sac en laissant une petite place à Foudre. Puis elle ramassa les patins et sortit avec Justine.

Arrivées au portail de l'école, elles virent la mère de Louise garée en face.

— Veux-tu qu'on te ramène chez toi? proposa Louise à Justine.

— Merci, mais Coralie m'a demandé si je voulais bien rentrer à pied avec elle. Ça ne t'ennuie pas, j'espère ?

— Bien sûr que non, mentit Louise.

— Bon, à demain matin, alors!

Louise la regarda rejoindre Coralie, qui l'attendait un peu plus loin. Lucie et Melissa sortirent à leur tour et les quatre filles s'éloignèrent ensemble.

— Ça ne va pas? s'inquiéta Foudre qui avait sorti la tête du sac et l'observait.

— Je me sens un peu exclue, avoua-t-elle à voix basse. Toutes mes amies ne parlent que de patinage. Et moi, je n'ai rien à dire puisque je n'en fais pas.

— Je n'aime pas te voir triste, murmura-t-il en inclinant la tête.

— Tu es trop mignon ! Ne t'en fais pas, ça va passer.

Pourtant, malgré ses bonnes résolutions, Louise resta silencieuse pendant tout le trajet.

Sa mère finit par s'inquiéter.

— Tu n'as pas l'air en forme, ma chérie. Tu n'as pas mal au ventre ou à la tête, dis-moi ?

— Non, tout va bien.

— Qu'est-ce que tu as dans ce sac en tissu ?

— Les vieux patins de Justine. Bien sûr, il n'y a aucune chance que je m'en serve, et je le lui ai dit, mais elle a voulu que je les garde. Si jamais vous changiez d'avis...

— Nous en avons déjà parlé. Et tu connais la réponse, non ?

Louise hocha la tête en soupirant.

Dès qu'elle arriva chez elle, elle alla à la cuisine. Elle prit deux petits sachets de chips et repartit, pressée de se retrouver dans sa chambre avec Foudre. Il était le seul à la comprendre. Quelle chance d'avoir un ami pareil !

— Où files-tu si vite ? s'étonna sa mère en la voyant courir vers l'escalier.

— J'ai… j'ai des devoirs à terminer, lança Louise sans se retourner.

— Je t'appellerai quand le dîner sera prêt.

Une fois dans sa chambre, Louise posa son sac par terre. Foudre en sortit. Puis ils s'assirent sur le tapis et partagèrent les chips.

Quand il eut terminé, il se lécha les babines et se tourna vers elle.

— Tu es prête ? demanda-t-il, les yeux brillants.

— Prête… ? Prête à quoi ?

Il ne répondit pas, mais elle sentit un picotement lui parcourir le dos. Des étincelles s'allumèrent dans la fourrure du chiot tandis que ses petites oreilles pointues crépitaient en lançant des éclairs.

Louise frissonna d'impatience. Il allait se passer quelque chose !

# 5

Foudre leva une petite patte noire. Il en jaillit un tourbillon d'étincelles qui se mirent à tourner de plus en plus vite. Et brusquement la chambre se transforma.

Crac ! Les murs s'écartèrent et la taille de la pièce décupla. Pffft ! Le lit, la penderie et les autres meubles rapetissèrent et s'alignèrent contre un mur. Bing ! Une patinoire entourée d'une rambarde apparut devant elle. Boum ! Un livre atterrit près d'elle.

Louise le ramassa et lut le titre : *Techniques du patinage artistique – Pas à pas.*

— Waouh ! C'est fabuleux !

Elle adressa un sourire rayonnant à Foudre. Elle savait désormais à quoi il s'était occupé dans la bibliothèque.

— Tu as pensé à tout. Maintenant je peux m'entraîner. Et, grâce à ce livre, c'est comme si j'avais un professeur particulier !

— Je suis content que ça te plaise, aboya-t-il.

Louise avait hâte d'essayer la patinoire. Elle se changea et chaussa les patins de Justine.

— Je suis prête !

Elle prit une profonde inspiration et s'avança sur la piste. C'était fantastique de glisser sur la glace. Elle avait l'impression de voler. Elle était folle de joie !

Une fois échauffée, elle prit le livre et choisit une séquence de pas très simple. Quand elle la connut par cœur, elle s'appliqua à améliorer son style.

Plus elle prenait confiance en elle, plus elle jubilait. Elle avait l'impression d'avoir des ailes aux pieds.

— Je n'en reviens pas de tout ce que je réussis. Dis-moi, tu ne m'as pas ensorcelée pour que je patine mieux ? lança-t-elle alors qu'elle passait devant Foudre à toute vitesse, les bras écartés.

— Non, Louise. Ce serait idiot de ma part. Il vaut mieux que tu apprennes par toi-même. Surtout que je ne serai pas toujours là pour t'aider...

Elle s'arrêta brusquement dans un nuage de cristaux de glace.

— Comment ? Ténèbre ne risque pas de te retrouver ici, n'est-ce pas ? Alors rien ne t'empêche de vivre avec moi pour toujours !

Foudre secoua lentement la tête, soudain grave.

— Ténèbre n'abandonnera jamais ses recherches. Et de toute façon, il faudra bien que je rentre un jour chez moi prendre la tête du clan de la Lune Griffue.

Louise sentit son cœur se serrer.

— Mais ce sera dans très, très longtemps, hein ?

— Écoute, je resterai autant que je le pourrai, promit-il avec un sourire.

— Super ! Alors, tout va bien ! Regarde ça !

Elle plia les genoux et, prenant son élan, exécuta un huit un peu vacillant.

— Pas mal ! s'écria-t-il. Ça me donne envie d'essayer !

Il y eut un éclair et des petits patins dorés apparurent au bout de ses pattes noires. Il monta sur la glace et glissa droit devant lui. Mais à la seconde où il voulut pousser sur une patte, les trois autres s'écartèrent et il s'effondra sur le ventre.

— Oh, mon Dieu ! s'écria Louise en se précipitant vers lui. Tu ne t'es pas fait mal, au moins ?

Retenant un fou rire, elle l'aida à se relever et le reposa bien droit sur ses pattes. Il se secoua pour se débarrasser de la glace accrochée à ses poils.

— Eh, c'est pas si facile ! Je crois que je vais te laisser t'amuser toute seule.

Sur ces mots, il revint prudemment vers le bord de la piste. Dès qu'il posa une patte sur la moquette de la chambre, ses patins disparurent dans un nuage doré.

Au bout d'une heure, Louise se retrouva en sueur et ses jambes la tiraillaient. Elle sortit de la patinoire et s'assit à côté de Foudre pour se déchausser.

— Pfiou ! C'était fantastique ! Même Coralie n'a pas une patinoire privée ! Merci, Foudre !

— Il n'y a pas de quoi. Désormais, tu pourras t'entraîner tous les soirs après l'école.

Elle écarquilla les yeux.

— C'est vrai ? Je croyais que c'était juste pour cette fois ! Oh, c'est fabuleux ! Je vais travailler dur. Si j'arrive à convaincre mes parents que je suis vraiment douée, je suis sûre qu'ils finiront par m'inscrire à l'Académie.

— Louise ! Le dîner est prêt ! lança sa mère du bas de l'escalier.

— J'arrive !

Dans un éclair suivi d'une nuée d'étincelles, Foudre rendit à la chambre son aspect normal. Louise, folle de joie, dévala les marches, le chiot sur ses talons. Foudre était le meilleur ami du monde !

— Comment ça s'est passé hier soir ? demanda Louise quand elle retrouva Justine à l'école, le lendemain. Melissa, Coralie et Lucie se sont inscrites à l'Académie ?

— Bien sûr. Marie était ravie d'avoir de nouvelles élèves. Figure-toi que Coralie est arrivée en justaucorps violet avec les patins assortis.

— Ça ne m'étonne pas d'elle, pouffa Louise.

— Tu aurais vu sa tête quand on lui a montré notre uniforme ! La jupe plissée et le tee-shirt, c'est pas son style ! Elle a dit que ça ressemblait à une vieille tenue de majorette ! N'empêche qu'on s'est bien amusées. J'aurais tellement aimé que tu sois là.

— Moi aussi, soupira Louise.

Elle aurait voulu pouvoir parler à Justine de sa patinoire privée, mais pas question de confier le secret de Foudre, même à sa meilleure amie.

Elle jeta un regard discret au chiot qui était étalé de tout son long sur son bureau. Il ouvrit un œil bleu saphir et remua la queue.

— Tu continueras à venir à la patinoire le samedi matin ? s'enquit Justine.

— Oui, mes parents veulent bien.

— Super ! On y sera aussi car on a un entraînement supplémentaire. Ils vont tendre une corde au milieu de la patinoire pour en réserver la moitié à l'Académie.

— C'est pour préparer le spectacle ?

— Oui, Marie veut qu'on s'entraîne dur. Et tu sais quoi ? Celles qui auront les meilleurs résultats suivront gratuitement le stage d'été !

— Quelle chance !

Louise était épatée. Gagner une place au stage d'été dépassait ses rêves les plus fous.

— Alors, vous serez toutes prises par l'entraînement ? soupira-t-elle.

Elle allait se retrouver seule dans l'autre partie de la patinoire avec une foule d'enfants qu'elle ne connaissait pas.

— Oui, mais nous arriverons de bonne heure pour patiner avec toi avant le cours, la rassura Justine. Et je te montrerai les nouvelles figures que nous avons apprises.

— Super ! jubila Louise.

« Ensuite, avec l'aide de Foudre, je m'entraînerai à les refaire tous les soirs après la classe », décida-t-elle dans la foulée.

# 6

D'habitude, Louise aimait bien l'école, mais, les jours qui suivirent, elle n'eut qu'une hâte : rentrer chez elle. À peine arrivée, elle se précipitait dans sa chambre. Avant le dîner elle passait tout son temps à patiner, et aussi une heure ou deux après.

— Je crois que je vais aller voir ton professeur, déclara son père à la fin de la semaine.

— Pourquoi donc ?

— Depuis lundi, tu passes tes soirées enfermée dans ta chambre à faire tes devoirs. Nous ne te voyons plus, ta mère et moi. Et nous nous demandons si tu n'aurais pas des problèmes scolaires.

— Moi ? Mais non ! Tout va bien, bredouilla Louise.

Elle ne voulait surtout pas que son père aille à l'école. Comment se sortir de ce pétrin ? Elle jeta un regard désespéré à Foudre.

Elle vit alors jaillir des pointes de ses oreilles de minuscules étincelles. Boum ! Un objet atterrit derrière elle. Elle se retourna et reconnut le livre de la bibliothèque par terre. Elle le ramassa.

— Oh, je... je le cherchais partout. J'avais dû le laisser sur la chaise et il est tombé.

Son père lui prit le livre des mains en fronçant les sourcils.

— Qu'est-ce que c'est ? *Techniques du patinage artistique*, lut-il à voix haute.

— C'est pour mon exposé sur le patin à glace, mentit-elle. Ce sujet me tient à cœur. Alors je bosse à fond. Je ne voulais pas vous en parler parce que… parce que vous auriez pu croire qu'ainsi je vous poussais à m'inscrire au cours, finit-elle, prise d'une brutale inspiration.

Son père la jaugea du regard.

— Tu es sûre ?

— Évidemment ! s'indigna-t-elle. Même si j'ai toujours autant envie de patiner.

— Hum ! Si je me souviens bien, tu ne t'es lassée du VTT qu'au bout de quelques jours.

Elle fit la grimace. Elle devait reconnaître qu'il avait raison.

— Là, c'est différent, papa. Tu verras !

— Eh bien, je ne demande qu'à être convaincu.

Il lui pressa affectueusement le bras et partit dans le jardin tondre la pelouse.

Elle se tourna vers Foudre et poussa un gros soupir.

— Pfiou ! J'ai eu chaud. Par bonheur il m'a crue ! J'espère seulement qu'il ne va pas me demander de lui montrer mon exposé.

— Ce ne sera pas un problème, répondit-il.

Il y eut un nouveau jet d'étincelles et un classeur apparut entre les mains de Louise. Elle l'ouvrit. Il contenait une liasse de documents et de photos concernant le patinage artistique.

— Juste au cas où tu en aurais besoin !

Elle contempla le dossier avec stupéfaction.

— Mais d'où ça sort ?

— Il y avait une machine dans la bibliothèque

avec plein de photos sur l'écran. J'ai regardé comment les gens faisaient pour imprimer.

— Tu t'es servi d'un ordinateur ? Trop fort !

Elle lui lança un sourire admiratif. Décidément, il lui réservait bien des surprises !

Louise était d'une humeur excellente quand sa mère la déposa à la patinoire le samedi matin. Foudre caché dans son sac de sport, elle se dirigea au plus vite vers les vestiaires, impatiente de montrer ses progrès à ses amies.

Le vestiaire était vide. Elle fit sortir Foudre de son sac.

— Tu ferais mieux d'aller t'installer dans les gradins, lui chuchota-t-elle tout en attachant ses patins. Il y a trop de monde dans la patinoire. Tu risquerais de te faire écraser.

Il hocha la tête. Ils quittèrent le vestiaire. Foudre alla s'asseoir sur les marches. Louise se dirigea vers la piste.

— Hé, Louise ! l'appela Justine.

Louise patina vers son amie qui se trouvait en compagnie de Melissa, Lucie et Coralie. Elles portaient toutes la jupe plissée et le tee-shirt assorti avec écrit en blanc « Académie de patinage artistique ».

Louise se sentit un peu gênée dans son jean et son pull. Coralie n'aimait pas cet uniforme, pourtant Louise aurait adoré le porter.

— Bonjour, tout le monde ! lança-t-elle gaiement.

— Salut, Louise !

Elles se prirent par le bras et firent quelques tours de patinoire ensemble. Ensuite, Coralie, Melissa et Lucie montrèrent à Louise une séquence qu'elles venaient d'apprendre. Louise essaya de les imiter.

— Tu es vraiment douée, Louise, constata Coralie. On croirait que tu t'es entraînée avec nous !

Louise sourit intérieurement. Puis Justine leur fit une petite démonstration d'un passage un peu plus compliqué. Louise l'observa de près, admirant ses gracieuses arabesques et ses mouvements glissés. Justine termina par une impressionnante pirouette et s'arrêta les deux bras en l'air.

— Waouh ! C'était splendide ! applaudit Louise. À mon tour. J'ai bien envie de tenter une pirouette, moi aussi !

— Attends ! Sois prudente..., la mit en garde Justine.

Trop tard ! Louise fonçait déjà sur la glace et prenait de la vitesse. Toutes ses heures passées à s'entraîner sur sa patinoire magique lui avaient donné de l'assurance. Rien ne lui faisait peur.

À la sortie d'une grande courbe, elle se pencha en avant. En équilibre sur un pied, elle leva l'autre derrière elle. Justine et ses amies l'acclamèrent. Grisée, Louise se mit à tournoyer. Elle prenait de plus en plus de vitesse lorsqu'un de ses patins accrocha la glace. Brutalement déséquilibrée, elle tomba sur le derrière.

Justine se précipita pour l'aider à se relever.

— Ça va ? Tu sais, ce n'est pas facile, les pirouettes. Il faut s'entraîner pendant des heures et des heures avant d'y arriver.

— Oui, ça va, répondit Louise en époussetant la glace sur son jean, le visage rouge de honte.

Alors que Melissa et Coralie semblaient la plaindre, elles aussi, Lucie ne put retenir un fou rire.

— Excuse-moi, Louise, mais tu as pris une belle gamelle ! gloussa-t-elle. Tu es tombée comme un sac de patates !

D'autres filles, plus âgées, éclatèrent de rire à leur tour.

— Quelle nouille ! lança l'une d'entre elles.

— Merci, Lucie, murmura Louise, encore sonnée.

Elle se sentait vraiment idiote d'avoir voulu épater ses amies, surtout devant les autres. Elle devait encore beaucoup progresser avant d'atteindre le niveau de Justine. Même si elle avait la chance folle de disposer d'une patinoire rien que pour elle, cela ne remplacerait jamais les cours de l'Académie.

Une jeune femme mince coiffée d'une queue de cheval s'avança sur la glace et donna un coup de sifflet.

— Voilà Marie, notre prof. Il faut qu'on aille la rejoindre de l'autre côté de la corde. Tu viens nous regarder, Louise ? suggéra Melissa.

— Ça t'apprendra quelques petits trucs, renchérit Coralie.

— J'en ai bien besoin, reconnut Louise. Je vais me changer et je reviens.

Elle se dirigea vers les vestiaires. Foudre descendit des gradins et la rejoignit.

— Tu ne t'es pas fait mal ?

— C'est juste mon orgueil qui en a pris un coup. Sinon, tout va bien.

Le vestiaire était vide. Louise s'assit sur un banc pour retirer ses patins. Foudre sauta dans son sac de sport rouge et se roula en boule.

— Hé, qu'est-ce que tu fiches avec mon sac ? lança une voix désagréable.

Louise leva la tête et reconnut la fille qui l'avait traitée de nouille. Elle la toisait d'un air agressif.

— Ce n'est pas ton sac, c'est le mien, protesta-t-elle d'une petite voix nerveuse.

— N'importe quoi !

Sur ces mots, la fille s'approcha du sac et lâcha ses patins au-dessus de Foudre qui dormait !

# 7

Louise n'eut pas le temps de réfléchir. Elle tira le sac vers elle d'un geste sec tout en tendant l'autre bras pour intercepter les patins.

Patatras! Les patins lui heurtèrent le coude avant de tomber avec fracas sur le sol. Réveillé en sursaut, Foudre sauta du sac et se réfugia sur le banc, affolé.

La grande fille ramassa ses patins d'un geste rageur.

— Ça te prend souvent, la patineuse à la noix?

— Mais je… je…, bredouilla Louise. C'est que tu as failli blesser F…

Elle s'arrêta net. C'était impossible à expliquer. Elle aperçut alors un sac identique accroché à un portemanteau.

— Regarde ! Il est là-bas, ton sac !

La fille se retourna et rougit.

— Oh… et alors ? Tout le monde peut se tromper, non ?

Elle saisit l'autre sac, jeta ses patins dedans et s'éloigna à grands pas.

Louise se laissa tomber sur le banc. À présent que le danger était passé, elle avait la tête qui tournait et son bras la faisait terriblement souffrir.

Foudre, lui, s'était remis de ses émotions.

— Merci, tu m'as sauvé la vie. Mais tu es blessée ! s'écria-t-il en la voyant pâlir. Laisse-moi te guérir.

Louise sentit un picotement familier le long de sa colonne vertébrale. Puis Foudre souffla sur elle une nuée de petites étincelles. Elles s'enroulèrent autour de son bras. Louise eut l'impression que des mains fraîches la massaient La douleur s'écoula par le bout de ses doigts.

— Ça va beaucoup mieux. Merci, Foudre.

Il sauta par terre.

— Si on allait voir Justine ?

Elle hocha la tête et le suivit. Elle rougit de honte au souvenir de sa chute. Les paroles de la fille résonnèrent dans sa tête. « Patineuse à la noix » !

« Peut-être qu'elle a raison, songea-t-elle tristement. Je ne serai jamais qu'une patineuse ratée. »

Le dimanche, Louise accompagna ses parents à un vide-greniers. Il faisait très beau et elle avait retrouvé le moral, même si les paroles blessantes de la fille la poursuivaient encore.

De nombreux badauds se pressaient autour des étalages. Foudre caracolait, invisible, attiré par toutes sortes d'odeurs. Louise le voyait zigzaguer entre les passants.

Elle s'arrêta devant un stand qui vendait de jolies barrettes. Foudre en profita pour plonger sous la table dans un carton de jouets. Il en ressortit avec un affreux lapin rose qu'il tenait fièrement dans sa gueule.

Coin ! coin ! Louise faillit éclater de rire en le

voyant s'acharner avec ses petites dents pointues sur le jouet qui couinait.

Par chance, dans la cohue, personne ne remarqua le jouet qui voletait mystérieusement au-dessus du sol. Louise s'accroupit.

— Foudre, donne-moi ça, ordonna-t-elle à voix basse.

Il secoua la tête, une lueur espiègle dans les yeux, et s'aplatit sur le sol, le derrière en l'air.

— Arrête, tu vas finir par te faire remarquer ! le gronda-t-elle à voix basse. Maintenant donne-moi ce jouet. Je vais te l'acheter et nous jouerons avec à la maison.

Foudre lâcha sa trouvaille à regret. Louise la paya et repartit, Foudre sur les talons. Elle aperçut Lucie et l'appela en agitant la main qui tenait le lapin.

— Qu'est-ce que tu fais avec ce machin ? demanda Lucie en riant. Tu as un chien ou quoi ?

— J'aimerais bien ! En fait, je collectionne les horreurs. Coralie est avec toi ? demanda-t-elle pour faire diversion.

— Tu parles, elle préférerait mourir que de se montrer dans un vide-greniers ! Non, elle a invité Justine et Melissa à aller voir *La Princesse des glaces* avec elle. Je n'ai pas pu les accompagner, j'avais promis à ma mère de passer l'après-midi avec elle. Mais Coralie ne t'a pas appelée? Elle devait le faire.

Louise aurait adoré voir ce film… Peut-être Coralie avait-elle changé d'avis parce qu'elle ne faisait pas partie de leur groupe de patineuses?

— Tu devais déjà être partie quand elle t'a téléphoné, ajouta Lucie, comme si elle lisait dans ses pensées.

Louise sourit. C'était sans doute ce qui s'était passé. Coralie se montrait parfois tête en l'air, mais jamais méchante.

— Ça te dirait de manger un hamburger? proposa Lucie.

En entendant parler de nourriture, Foudre tapota la jambe de Louise.

— Dis oui! Dis oui! jappa-t-il.

— Pourquoi pas? répondit-elle à Lucie en riant. Les autres ne savent pas ce qu'elles ratent!

Elles achetèrent des hamburgers et continuèrent à se promener tout en les dégustant. Louise laissait tomber discrètement des petits morceaux dans l'herbe, que Foudre s'empressait d'avaler.

Puis les deux filles se séparèrent. L'heure de retrouver ses parents à la voiture était arrivée pour Louise. Elle partit avec Foudre vers le parking.

Tout à coup, le chiot poussa un hurlement de terreur et courut se cacher dans un buisson.

Louise se précipita vers les arbustes et s'accroupit. Tapi sur le sol, les oreilles couchées en arrière, Foudre tremblait comme une feuille.

— Qu'est-ce qui t'arrive ? Tu es malade ?

— Ténèbre m'a retrouvé ! Il a lancé des chiens ensorcelés à mes trousses ! gémit le chiot, ses grands yeux bleus écarquillés de terreur.

— Quels chiens ?

Louise leva la tête et aperçut alors une jeune femme avec deux molosses en laisse qui aboyaient furieusement. Leur maîtresse ouvrit le coffre de sa voiture et ils sautèrent à l'intérieur.

— Je ne crois pas que ces chiens en avaient après toi. Comment peut-on savoir s'ils sont ensorcelés ?

— Ils ont des yeux très, très clairs et des dents très, très longues. Et ils ont aussi un air féroce.

Louise les regarda attentivement quand la voiture passa devant elle pour gagner la sortie.

— Ces chiens me paraissent normaux. De toute façon, ils sont partis. Tu peux sortir.

Il s'avança d'un pas hésitant. Elle le prit dans ses bras.

— Mon pauvre toutou, tu as eu très peur ! chuchota-t-elle en le caressant tendrement. Tout va bien. Voilà mes parents. On sera bientôt en sécurité à la maison.

Quand elle le coucha sur ses genoux à l'arrière de la voiture, elle sentit son petit cœur qui battait la chamade. Elle prit soudain conscience de la menace qui pesait sur lui. Il serait forcé de partir tôt ou tard.

« Comment pourrai-je vivre sans lui ? » se demanda-t-elle, la gorge nouée par l'angoisse et le chagrin.

# 8

La vie reprit son cours. Tous les soirs, après avoir débarrassé la table du dîner, Louise remontait dans sa chambre s'entraîner sur sa patinoire magique, sous le regard attentif de Foudre. Il était complètement remis de ses émotions. Depuis leur frayeur lors du vide-greniers, ils n'avaient vu la trace d'aucun chien envoyé par Ténèbre.

— Pff! soupira-t-elle en s'accoudant à la rambarde pour retrouver son souffle. Je n'arrive pas à apprendre cet enchaînement. Je me demande si je suis douée, finalement.

— Tu as déjà fait de gros progrès, l'encouragea Foudre en remuant la queue.

— Tu crois ?

Il lui fallait du courage pour continuer à s'entraîner sans le soutien de ses amies. Même si elle ne voulait pas se l'avouer, depuis qu'elle s'était ridiculisée devant elles, elle avait perdu son assurance.

— Peut-être que je me fais des illusions. Je ne parviendrai jamais à danser correctement sur la glace et mes parents ne changeront jamais d'avis.

— Voyons, tu progresses sans cesse ! Il faut avoir confiance en toi, Louise.

— Si tu le dis, soupira-t-elle.

Elle alla s'asseoir sur la moquette pour retirer ses patins. Pendant ce temps, Foudre fit disparaître la patinoire et la chambre reprit sa taille normale.

Louise se leva non sans peine. Elle avait des courbatures dans les jambes et se sentait épuisée.

Elle entendait la télévision dans le salon. Son père regardait une émission sur la nature. Sa mère était partie au golf avec des collègues. Il faisait sombre dehors. Louise tira ses rideaux.

Lorsqu'elle se retourna, elle vit Foudre assis sur le lit, une patte posée sur le livre, en contemplation devant une photo en couleurs.

Louise se pencha pour voir ce qui l'intéressait tant.

— C'est Delphine Brun dans *La Belle au bois dormant*. C'est ma patineuse favorite. Comme j'aimerais lui ressembler ! ajouta-t-elle d'un ton découragé. Bon, je descends dire bonsoir à papa. Tu veux faire un tour dans le jardin avant qu'on se couche ?

Il hocha la tête et la suivit.

Louise se mit en chemise de nuit et sauta dans son lit. Elle serra Foudre dans ses bras, elle commençait à s'assoupir quand elle sentit un picotement lui parcourir le dos.

— Qu'est-ce que tu mijotes encore ? demanda-t-elle en étouffant un bâillement.

Les yeux bleus de Foudre brillaient comme

des saphirs dans l'obscurité. Des étincelles parcoururent sa fourrure noire ; sa queue et ses oreilles crépitèrent. Le lit se mit à trembler et une lueur l'enveloppa. Louise ouvrit complètement les yeux et s'assit, soudain bien réveillée.

Zoum ! Des colonnes de lumière s'élevèrent autour d'elle et Louise se retrouva installée dans une superbe calèche tirée par de magnifiques étalons blancs. Frrrt ! Des couvertures douces comme du duvet l'enveloppèrent.

Les chevaux s'envolèrent dans une explosion d'étincelles multicolores. La calèche traversa le plafond et s'élança dans la nuit constellée de millions d'étoiles.

— Où allons-nous ? balbutia Louise, pétrifiée de stupeur.

— Tu verras ! répondit Foudre d'un ton mystérieux.

Il se coucha sur ses genoux. Bientôt, les sabots des chevaux rasèrent la cime d'arbres couverts de neige et la calèche descendit vers un lac gelé.

— Oh ! Il y a un spectacle ! s'exclama Louise en apercevant sur la glace des danseurs en costumes chatoyants qu'éclairaient des projecteurs de toutes les couleurs.

Un château de glace orné de tours, illuminé par des bougies, scintillait comme un diamant géant.

De nombreux spectateurs regardaient les danseurs, d'autres se promenaient parmi les stands.

La calèche dorée atterrit au bout du lac. Personne n'y fit attention : Louise en déduisit qu'ils étaient invisibles.

Bien au chaud dans la calèche, elle avait une vue magnifique sur la piste de glace.

— J'ai l'impression de vivre un conte de fées. Ces danseurs sont fantastiques !

Son haleine dessinait de petits nuages dans l'air glacial. Pourtant, grâce à la magie de Foudre, elle n'avait pas froid. Soudain, elle repéra un visage connu.

— Je n'arrive pas à le croire ! C'est Delphine Brun !

— Je sais, aboya Foudre, très content de lui.

Captivée par le spectacle, Louise ne vit pas le temps passer. « C'est la plus belle nuit de ma vie ! » songea-t-elle quand les patineurs saluèrent, une heure après, sous un tonnerre d'applaudissements.

Dans un nouvel éclair, la calèche et les chevaux décollèrent et prirent le chemin du retour. Pop ! L'équipage disparut et Louise se retrouva au fond de son lit douillet.

— C'était fantastique ! Je n'oublierai jamais cette nuit. Merci, Foudre !

Il remua la queue de plaisir.

— J'aimerais tant danser comme eux, murmura-t-elle.

— Tu y arriveras un jour, assura-t-il en posant une patte sur sa joue.

Elle scruta son petit visage.

— Tu es sincère ?

— Oui, j'y crois, à condition que tu fasses

preuve de volonté et que tu t'accroches à ton rêve, sans te laisser décourager par les épreuves.

« Comme toi ! » songea-t-elle, très fière de son jeune ami : il était décidé à régner sur le clan de la Lune Griffue malgré le féroce Ténèbre.

Elle sentit son cœur se gonfler de courage. Si Foudre croyait en elle, elle devait y croire, elle aussi.

— Tu as raison, Foudre. Je vais travailler plus que jamais. Je m'entraînerai sur ma patinoire magique dès que j'aurai un instant de libre, quoi qu'il arrive !

Elle lui caressa tendrement la tête.

— Qu'est-ce que je ferais sans toi ? murmura-t-elle d'une voix ensommeillée avant de s'enfoncer bien au chaud sous sa couette.

# 9

Louise tint sa promesse. Pendant les dix jours qui suivirent, elle travailla sans relâche. Elle ne vit pas le temps passer. On arriva à la veille du spectacle.

— C'est la répétition en costumes, ce soir, lui annonça Justine d'une petite voix angoissée. Tu ne voudrais pas venir avec moi ?

— Moi ? Pourquoi ? Lucie, Melissa et Coralie ne seront pas là ?

Justine plissa le nez.

— Si, mais ce n'est pas pareil. C'est toi ma meilleure amie.

— Bien sûr que je viendrai ! Si tu savais comme ça me fait plaisir !

— Génial ! Je t'attendrai devant la patinoire car elle sera fermée au public. On ne laissera entrer que les danseurs et les gens qui préparent le spectacle. Mais ça ne dérangera pas Marie que tu viennes. Elle a dit qu'on aurait besoin d'aide. Et je lui ai confié que tu rêvais de devenir patineuse artistique.

— C'est vrai ? s'exclama Louise, sidérée que Justine ait parlé d'elle à son professeur. Qu'est-ce qu'elle a répondu ?

— Marie trouve bien dommage que tes parents refusent de t'inscrire puisque ça te plaît tant. Alors apporte tes patins. Tu pourras en faire pendant la pause entre les répétitions.

— Excellente idée ! À ce soir !

— Je dois reconnaître que, pour une fois, tu as l'air passionnée, reconnut le père de Louise quand il la déposa devant la patinoire. Peut-être as-tu enfin trouvé ta voie.

— Alors je peux m'inscrire à l'Académie ?

Son père sourit.

— On verra ça plus tard. À tout à l'heure !

— Tu l'as entendu ? chuchota-t-elle à Foudre tandis que son père s'éloignait. Je crois qu'il va dire oui.

— Ça, c'est bien !

Louise caressa sa petite tête.

— Merci, Foudre. Tu m'as fait comprendre que je devais m'accrocher pour réaliser mon rêve. Je sais à présent que rien ne pourra m'en détourner.

Foudre remua la queue.

Ils rentrèrent avec Justine. La patinoire était méconnaissable. Elle était décorée de guirlandes lumineuses, de glaçons en plastique et de longs rubans blancs. Un grand décor en carton représentait une forêt couverte de neige avec, en arrière-plan, une montagne surmontée d'un château de conte de fées.

— Oh, tu as vu ça ? s'exclama Louise.

Le paysage lui rappelait son escapade magique et le spectacle sur le lac gelé.

Mais Justine n'avait pas le cœur à lui répondre. La gorge nouée par le trac, elle se précipita vers le vestiaire. Louise la suivit. Elles retrouvèrent Coralie, Lucie et Melissa qui se changeaient en bavardant. Comme elles représentaient des animaux de la forêt, leur chorégraphie n'était pas très compliquée.

Alors que Louise aidait Justine à enfiler son costume d'un blanc scintillant et ses patins assortis, Marie vint saluer ses élèves. Elle sourit à Louise avant de pousser tout le monde dehors pour commencer la répétition.

Pendant l'heure qui suivit, Louise aida les uns et les autres de son mieux. Elle aurait tout donné pour danser avec ses amies sur la glace.

Elle applaudit avec enthousiasme après chaque numéro.

— Vingt minutes de pause ! annonça Marie.

La jeune femme quitta la piste. Les danseuses allèrent se désaltérer et se détendre.

Justine s'approcha de Louise.

— Tu peux patiner si tu veux. Ça ne dérangera personne.

Louise n'eut pas besoin qu'elle le lui dise deux fois. Elle chaussa ses patins et s'élança sur la glace, emportée par la musique que continuaient à diffuser les haut-parleurs. Tout entière appliquée à la séquence qu'elle avait apprise par cœur, elle ne remarqua pas le petit nuage d'étincelles dorées que Foudre envoya vers les spots. Un projecteur se mit à la suivre sur la glace.

Louise continua à évoluer sur la piste, perdue dans son monde à elle. Quand elle s'arrêta dans un gracieux dérapage, des applaudissements retentirent derrière elle.

Elle se retourna. Marie s'avança vers elle, un grand sourire aux lèvres.

— Bravo, Louise ! Justine m'avait dit que tu étais douée, mais je voulais le voir de mes propres yeux. En plus, avec ce projecteur qui te suivait partout, je ne pouvais pas te rater. Quel hasard incroyable ! Est-ce que ça te plairait de suivre notre stage d'été ?

— Vraiment ? J'adorerais ! Mais c'est possible quand on n'appartient pas à l'Académie ?

— Ne t'inquiète pas pour ça. C'est mon problème.

Louise quitta la piste dans un état second, pressée de retrouver Foudre pour tout lui raconter. Mais quand elle se dirigea vers les gradins, il détala brusquement dans la direction opposée.

Elle se précipita derrière lui et le vit s'engouffrer dans le magasin des accessoires. Un grand décor bloquait l'entrée. Louise entendit alors des grondements féroces derrière elle. Des chiens énormes apparurent au bout du couloir. La lumière faisait étinceler leurs yeux très, très clairs et leurs crocs très, très longs !

Louise sentit son sang se glacer dans ses veines. Ils étaient envoyés par Ténèbre ! Foudre courait un terrible danger !

Elle se faufila derrière le décor et entra dans la salle des accessoires. Un éclair illumina la pièce. Foudre se dressait devant elle en jeune loup majestueux. Une louve plus âgée au visage très doux se tenait près de lui. « Sa mère », pensa Louise.

Elle comprit alors que Foudre s'en allait pour de bon. Elle devait se montrer courageuse. Elle se précipita vers lui et le serra dans ses bras une dernière fois.

— Jamais je ne t'oublierai, Foudre, murmura-t-elle d'une voix brisée en enfouissant son visage dans son épaisse fourrure.

— Tu as été une merveilleuse amie, Louise. Moi non plus, je ne t'oublierai jamais.

Un affreux grondement retentit derrière elle.

— Vite, Foudre ! Sauve-toi !

Foudre et sa mère s'estompèrent et disparurent. Le grondement cessa brusquement et tout redevint silencieux.

Louise resta pétrifiée, le cœur brisé. Foudre allait terriblement lui manquer, mais il était sain et sauf. Elle se souviendrait à jamais de ce merveilleux compagnon et des fabuleuses aventures qu'ils avaient partagées.

— Louise ? Où es-tu ? appela Justine dans le couloir. Ton père te cherche partout. Marie lui a parlé. Il a une grande nouvelle à t'annoncer.

— J'arrive !

Louise essuya ses larmes, le cœur soudain gonflé d'espoir.

— Oh, Foudre, merci de m'avoir aidée à accomplir mon rêve ! chuchota-t-elle. J'espère que le tien se réalisera aussi !

Découvre un extrait du tome 12:

# Des vacances de rêve

les chiots magiques

# Prologue

Foudre leva la tête et contempla les cimes des montagnes qui disparaissaient dans la brume. Le jeune loup argenté inspira profondément, heureux d'être de retour chez lui. Il se demanda où se cachait sa mère.

Soudain, un hurlement terrifiant déchira le silence.

— Ténèbre ! gémit-il, reconnaissant la voix du loup féroce qui avait attaqué le clan de la Lune Griffue.

Dans un éclair et une pluie d'étincelles, le louveteau se transforma en un adorable petit yorkshire à l'épaisse fourrure fauve et noir, au visage pointu, aux oreilles droites et aux immenses yeux bleu saphir.

Il espérait que ce déguisement le protégerait du cruel Ténèbre. Il avança vers une falaise, tout tremblant, le ventre au ras du sol.

En approchant, il vit avec terreur un loup se détacher des rochers. À son grand soulagement, il reconnut ses grands yeux dorés et s'approcha en frétillant de joie avant de bondir pour lui lécher le museau.

— Mère !

— Je suis heureuse de te voir sain et sauf, murmura Perle d'Argent de sa voix de velours. Hélas, tu as mal choisi ton moment pour revenir.

Elle lui donna un coup de langue et laissa alors échapper un gémissement de douleur.

— Laisse-moi te soigner ! s'écria Foudre.

Il souffla un jet d'étincelles sur sa patte blessée. Elles tourbillonnèrent quelques secondes autour de la plaie et disparurent.

— Merci, Foudre. Mais tu n'as pas le temps de m'aider à retrouver mes pouvoirs. Ténèbre est tout près.

La tristesse envahit Foudre à la pensée de son père et de ses frères disparus, et des valeureux loups du clan de la Lune Griffue qui s'étaient dispersés. Ses yeux bleus étincelèrent de colère.

— Un jour, nous affronterons Ténèbre ensemble et nous le chasserons de notre territoire pour toujours.

Perle d'Argent hocha la tête avec fierté.

— Les autres te reconnaîtront alors comme leur chef, et le clan de la Lune Griffue sera de nouveau réuni. En attendant, garde ce déguisement et retourne te cacher dans l'autre monde. Tu reviendras quand tu auras gagné en force et en sagesse.

Un nouveau grondement retentit dans l'air glacial. Des griffes d'acier crissèrent sur les rochers, juste à côté de l'endroit où Foudre et sa mère se dissimulaient.

— Je sais que tu es là ! rugit Ténèbre. Finissons-en !

— Pars, Foudre ! Sauve-toi ! le supplia Perle d'Argent.

Des étincelles dorées jaillirent des poils fauve et noir. Foudre gémit tandis qu'il rassemblait ses pouvoirs. Sa fourrure se mit à briller, briller, briller…

# 1

Marine Cordet soupira en s'asseyant à côté de sa mère dans l'aéroport de Valence.

— Ne fais pas cette tête, ma chérie, murmura Mme Cordet. On va retrouver nos bagages. Ton père s'en occupe.

— Si ce n'était que ça ! bougonna Marine en pensant à sa cousine Chloé.

Chloé aurait dû les accompagner en Espagne. Mais, à l'idée de quitter ses parents si longtemps, elle avait finalement préféré rester. Marine était sûre que les vacances seraient beaucoup moins drôles sans elle.

— Je comprends que tu sois déçue, mais, telle que je te connais, tu vas vite te trouver de nouveaux amis, la rassura sa mère.

Marine se força à sourire, mais le cœur n'y était pas. Elle avait l'impression qu'un gros nuage noir planait au-dessus de sa tête.

Elle vit son père qui fendait la foule en leur faisant de grands signes.

— Quelle pagaille ! Une partie des bagages a été égarée, et personne n'a la moindre idée de l'endroit où ils se trouvent. Inutile d'attendre. Nous allons nous rendre à la villa. La compagnie aérienne nous préviendra dès qu'ils auront remis la main sur nos valises. Je leur ai laissé nos coordonnées.

— Heureusement que nous avons gardé sur nous notre argent et tous les papiers importants ! soupira Mme Cordet. Eh bien, allons chercher la voiture.

Marine suivit ses parents en traînant les pieds. Dehors, un grand soleil inondait les palmiers et les cactus géants. Ils récupérèrent la voiture sur le parking et quittèrent l'aéroport.

Marine regardait avec tristesse les villes assoupies sous la chaleur et les longues queues de voitures et de gros camions qui défilaient derrière les vitres. Au bout de vingt minutes, la circulation diminua enfin. Peu à peu, les constructions cédaient la place à un paysage de campagne avec des fermes basses entourées de champs d'oliviers et d'orangers.

Sous le grand ciel bleu, Marine sentit malgré elle son moral remonter. Elle se demandait s'ils allaient bientôt arriver quand ils s'engagèrent sur une petite route étroite qui menait au sommet d'une colline.

— Voilà notre villa ! annonça Mme Cordet.

Marine aperçut des murs blancs et un toit rouge à travers les arbres. Peut-être que tout irait mieux une fois qu'ils seraient arrivés. Elle s'imaginait déjà au bord de la piscine, avec une délicieuse boisson fraîche.

Mais, quand leur voiture s'arrêta devant la maison, Marine fronça les sourcils à la vue des volets fermés, de la pelouse pleine de mauvaises herbes et de la piscine d'un vert inquiétant.

— Tu as dû te tromper de villa, papa ! s'écria-t-elle.

Il n'était pas question qu'elle trempe un orteil dans cette mare infâme !

Son père vérifia l'adresse en se grattant la tête.

— Non… C'est bien là. Je ne comprends pas. La propriétaire habite la ferme voisine. Allez donc vous mettre au frais sous les arbres pendant que je vais me renseigner.

— Bonne idée, répondit Mme Cordet.

Elle descendit de la voiture et se laissa tomber sur un banc à l'ombre d'un olivier.

— Je vais faire un tour, annonça Marine.

Elle partit dans le jardin en marmonnant. Elle commençait à regretter de ne pas être restée chez elle, comme Chloé.

— Je me retrouve sans personne pour jouer avec moi et, en plus, la maison est horrible !

Elle atteignait le fond du jardin quand un éclair illumina le mur et les palmiers alentour.

Elle leva la tête vers le ciel, s'attendant à y voir de gros nuages noirs. Non, il faisait toujours aussi beau.

Elle examina alors les arbres et aperçut à leur pied un petit chiot fauve et noir, avec une tête toute fine et d'immenses yeux bleu saphir. Des centaines d'étincelles parcouraient son épaisse fourrure telles de minuscules lucioles !

Marine fronça les sourcils. Qu'est-ce que ce chiot faisait dans une villa déserte ? Peut-être que ses propriétaires l'avaient abandonné.

— Pauvre petit toutou ! Tu es tout seul ? s'apitoya-t-elle.

— Oui, répondit-il. Je viens de très loin. Peux-tu m'aider ?

Cet ouvrage a été imprimé
en juin 2011 par

27650 Mesnil-sur-l'Estrée
N° d'impression : 105574
Dépôt légal : juillet 2011

*Imprimé en France*

Cet ouvrage a été composé par
PCA - 44400 REZÉ

12, avenue d'Italie
75627 PARIS Cedex 13